Саша Черный

Дневник фокса Микки

ИЗДАТЕЛЬСТВО
РАНОК

УДК 82-93(47)
ББК 84(2Рос=Рус)
Ч 49

Серия «Любимая книга детства»

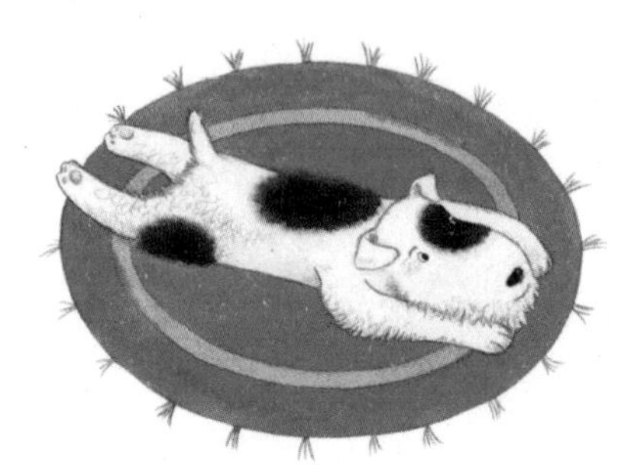

Черный, Саша

Ч 49 Дневник фокса Микки / Саша Черный. — Харьков : Изд-во «Ранок», 2015. — 80 с. : ил. — (Серия «Любимая книга детства»).

ISBN 978-617-09-2313-4

«Дневник фокса Микки» — одна из лучших детских книг замечательного русского поэта, прозаика и журналиста Саши Черного (1880–1932). Перед юным читателем открывается мир детей и взрослых, увиденный глазами песика-фокстерьера — непоседливого, лукавого, наделенного чувством юмора и, вдобавок, умеющего читать, писать и даже… сочинять стихи. И какой же этот мир, оказывается, странный и непривычный! «Дневник фокса Микки» написан в 1927 году в эмиграции: Саше Черному после революции пришлось покинуть большевистскую Россию и поселиться на юге Франции.

УДК 82-93(47)
ББК 84(2Рос=Рус)

Вместе заботимся об экологии и здоровье

ISBN 978-617-09-2313-4

Знаете, что за характер у фокстерьеров? О, это особенные собаки! Гордые и азартные, бесстрашные и преданные, озорные и лукавые, порывистые и насмешливые, всегда готовые постоять за себя. А если такой пес, вдобавок, умеет писать и читать, да еще втайне считает себя поэтом, от него можно ждать чего угодно.

Вот такой фокс по имени Микки и стал главным героем замечательной детской книги, созданной русским поэтом и прозаиком Сашей Черным (1880–1932), чьи детство и юность прошли в Украине — в Одессе и Житомире. В начале 20 в. его сатирические стихи и иронические рассказы пользовались фантастической популярностью. Корней Чуковский писал, что, получив свежий номер столичного журнала, взрослый читатель, прежде всего, искал в нем стихи, рассказы и фельетоны Саши Черного. Но не менее известными и любимыми были его рассказы и повести для детей.

В годы Первой мировой войны Саша Черный служил рядовым санитаром в полевом лазарете, а в 1918 г. был вынужден покинуть большевистскую Россию. Ему довелось жить в Литве и Германии, а в 1929 г. писатель поселился на юге Франции в местечке Ла Фавьер, где и прожил до конца своих дней.

«Дневник фокса Микки», написанный в 1927 г., по праву считается лучшей детской книгой Саши Черного.

О Зине, о еде, о Корове и о другом

Моя хозяйка Зина больше похожа на фокса, чем на девочку: визжит, прыгает, ловит руками мяч (зубами она не умеет) и грызет сахар, совсем как собачонка. Все думаю — нет ли у нее хвостика? Ходит она всегда в своих девочкиных попонках; а в ванную комнату меня не пускают — уж я бы подсмотрел, есть хвостик или нет.

Вчера она расхвасталась: видишь, Микки, сколько у меня тетрадок. Арифметика, диктовка, сочинения… А ты, цуцик несчастный, ни говорить, ни читать, ни писать не умеешь.

Гав! Я умею думать — и это самое главное. Что лучше: думающий фокс или говорящий попугай? То-то!

Читать я немножко умею — детские книжки, напечатанные самыми крупными буквами.

Моя хозяйка Зина похожа на фокса

Писать… Ладно, смейтесь, смейтесь (терпеть не могу, когда люди надо мной смеются!) — писать я тоже научился. Правда, пальцы на лапах у меня не гнутся, я ведь не человек и не обезьяна. Но я беру карандаш в зубы, наступаю лапой на тетрадку, чтобы она не ерзала,— и пишу.

Сначала буквы у меня были похожи на раздавленных дождевых червяков. Но фоксы гораздо прилежнее девочек. Теперь я пишу не хуже Зины. Вот только не умею точить карандаши. Когда мой тупится, я тихонько бегу в кабинет и тащу со стола отточенные людьми огрызочки.

* * *

Ставлю три звездочки. Так делают в детских книжках: когда человек перепрыгивает к новой мысли, он ставит три звездочки…

Что важнее всего в жизни? Еда. И нечего тут притворяться! У нас полон дом людей. Они разговаривают, читают, плачут, смеются — а потом садятся есть. Едят утром, едят в полдень, едят вечером. А Зина ест даже ночью — прячет под подушку бисквиты и шоколадки и потихоньку чавкает.

Как же много они едят! Как долго они едят! Как часто они едят! И говорят еще, что я обжора…

Сунут косточку от телячьей котлетки (котлетку сами съедят!), нальют полблюдца молока — и все.

   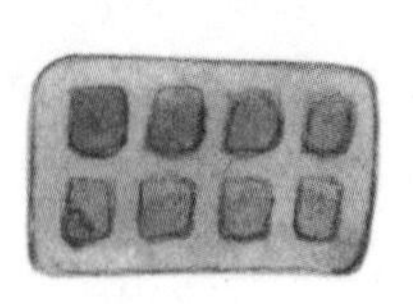 

Разве я пристаю, разве я прошу добавки, как Зина и другие дети? Разве я ем сладкое: этот клейстер, который называется киселем, или ту жидкую гадость из чернослива и изюма, или тот холодный ужас, который они называют мороженым? Я деликатнее других собак, потому что я породистый фокс. Погрызу косточку, съем, осторожно взяв из рук Зины, бисквит, и — все.

Но люди… Зачем эти супы? Разве не вкуснее чистая вода?

Зачем эти горошки, морковки, сельдерейки и прочая гадость, которой они портят жаркое?

Зачем вообще варить и жарить?

Я тут недавно попробовал кусочек сырого мяса (упал в кухне на пол — и я получил полное право его съесть!)… Уверяю вас, это было гораздо вкусней всяких котлет, шипящих на сковородке…

Как было бы хорошо, если б ничего не варили и не жарили! Не было бы кухарок: они совершенно не умеют обращаться с порядочными собаками. Ели бы все на полу, без посуды,— и мне было бы веселей. А то вечно сидишь под столом, среди чужих ног. Толкаются, наступают на лапы. Ничего хорошего!..

Или еще лучше — ели б на траве перед домом. Каждому по сырой котлетке. А после обеда все бы носились, барахтались и визжали, как Зина со мной... Гав-гав!

Меня называют обжорой (выпил глоток молока из кошкиного блюдца, подумаешь!). А сами-то... После супа, после жаркого, после компота, после сыра — они еще пьют всякие разноцветные штуки: красную — вино, желтую — пиво, черную — кофе... Зачем? Я зеваю под столом до слез, привык около людей околачиваться, а они все сидят, сидят, сидят... Гав! И говорят, говорят, говорят, точно у каждого граммофон в животе завели.

* * *

Опять три звездочки.

Новая мысль. Наша корова — дура. Зачем она дает столько молока? У нее один сын — теленок, а она кормит весь дом. И чтоб отдать столько молока, она весь день ест, ест свою траву, даже смотреть жалко. Я б не выдержал. Почему лошадь не дает столько молока? Почему кошка кормит своих котят и больше ни о ком не заботится?

Разве говорящему попугаю придет в голову такая мысль?

И еще. Почему куры несут столько яиц? Это ужасно. Никогда они не веселятся, ходят, как сонные мухи, летать разучились, не поют, как другие птицы... И все из-за этих несчастных яиц.

Я яиц не выношу. Зина — тоже. Если б я мог объясниться с курами, я бы им отсоветовал нести столько яиц.

Хорошо все-таки быть фоксом: супа не ем, на этой проклятой музыке, по которой Зина колотит пальцами, не играю, молока не даю — «и тому подобное», как говорит Зинин папа.

Кр-рах! Карандаш переломился. Надо писать осторожнее — кабинет закрыт, а там все карандаши.

В следующий раз сочиню собачьи стихи — очень меня это заинтересовало.

Фокс Микки,
первая собака, умеющая писать

Взрослые всегда читают про себя. Скучные люди эти взрослые, вроде старых собак. А Зина читает вслух, нараспев и все время вертится, хлопает себя по коленке и показывает мне язык. Конечно, так гораздо веселей. Я лежу на коврике, внимательно слушаю и ловлю блох. Во время чтения это особенно приятно.

И вот я заметил, что есть такие штучки, которые Зина читает совсем по-особому — точно котлетки рубит. Сделает передышку, языком прищелкнет и опять тарахтит. А на конце каждой строчки — собачье ухо тонкое — похожие друг на друга кусочки звучат: «дети — отца, сети — мертвеца»... Вот это и есть стихи.

Вчера весь день пролежал под диваном, даже, кажется, похудел. Все хотел одну такую штучку сочинить. И сочинил, чем ужасно горжусь.

По веранде ветер дикий
Гонит листья все быстрей.
Я веселый фоксик Микки,
Самый умный из зверей!

Нет, правда замечательно? Сочинил и так волновался, что даже обедать не мог. Подумайте только! Это первые в мире собачьи стихи, а ведь я не учился ни в гимназии, ни в «Цехе поэтов»... Разве наша кухарка сочинит такое? А ведь ей сорок три года, а мне всего два. Гав!

Эта кубышка Зина даже не подозревает, кто живет у нее в доме... Запеленала меня в платок, взяла на колени и делает мне замшевой подушечкой маникюр. Молчу и вздыхаю. Разве девочки могут что-нибудь путное придумать?

И вот, лежа вверх лапами, попробовал прочесть свои стихи наоборот. Тяф! Может, так еще звонче будет?..

Дикий ветер веранде по
Быстрей все листья гонит...
Микки фоксик веселый я,
Зверей из умный самый...

Ай-яй-яй! Что ж это за напасть? Котята! Скажите пожалуйста!.. Их мать, хитрая кошка, исчезает в парке на весь день: шмыг — и нету, как комар под елку. А я играй с ее детьми... Вот один лижет меня в нос.

...как всё странно!

Я тоже его лизнул, хотя зубы у меня почему-то вдруг сами собой щелкнули… Другой сосет мое ухо. Мамка я ему, что ли? Третий лезет ко мне на спину и так царапается, словно меня теркой скребут… Р-р-р-р!.. Тише, Микки, тише…

Зина хохочет и захлебывается: ты, говорит, их двоюродный папаша.

Я не сержусь: надо же им кого-нибудь лизать, грызть и царапать… Но почему эта девчонка смеется?

Ах, как странно, как все странно! Сегодня бессовестная кошка вернулась наконец к своим детям. И знаете, когда они бросили меня и полезли все к своей маме — я посмотрел на это из-под скатерти, задрожал всей шкурой и нервно всхлипнул от зависти. Непременно напишу об этом стишок…

Ушел в аллею. Не желаю я больше возиться с котятами! Они не оценили моего большого сердца. Не хочу больше играть с Зиной! Она вымазала мне нос губной помадой…

Сделаюсь диким лесным фоксом, буду жить на каштане и питаться голубями. У-у-у!

* * *

Видел на граммофонной пластинке нацарапанную картинку: фокс сидит перед трубой, склонил голову набок, ухо свесил и слушает. Че-пу-ха! Ни один порядочный фокс не будет слушать эту хрипящую, сумасшедшую машину. Если б я был Зинин папа, уж я бы лучше держал в гостиной корову. Она тоже мычит и ревет, да и доить ее удобней дома, чем бегать к ней в сарай. Странные люди...

С Зиной помирился: она катала по паркету кегельный шар, а я его со всех ног ловил. Ох, как же я люблю все круглое, все, что катится, все, что можно ловить и поймать!..

Но девочка всегда остается девочкой. Уселась на пол и зевает: «Как тебе, Микки, не надоест сто раз повторять одно и то же?»

Да? У нее есть кукла, и книжки, и подружки, папа ее курит, играет в какие-то дурацкие карты и читает газеты, мама ее все время одевается и раздевается... А у меня только мой шар — и меня же им еще попрекают!

Ненавижу блох. Не-на-ви-жу! Могли бы, кажется, кусать кухарку (Зину все-таки жалко), так нет — целый день грызут меня, точно я сахарный... Даже с котят все на меня перебрались. Ладно! Пойду в переднюю, лягу на спину на шершавый коврик и так их разотру, что все они в обморок попадают. Гав-гав-гав!

Затопили камин. Смотрю на огонь. А что такое огонь — никому не известно.

Фокс Микки,
собака-поэт,
умнее которой в мире нет...

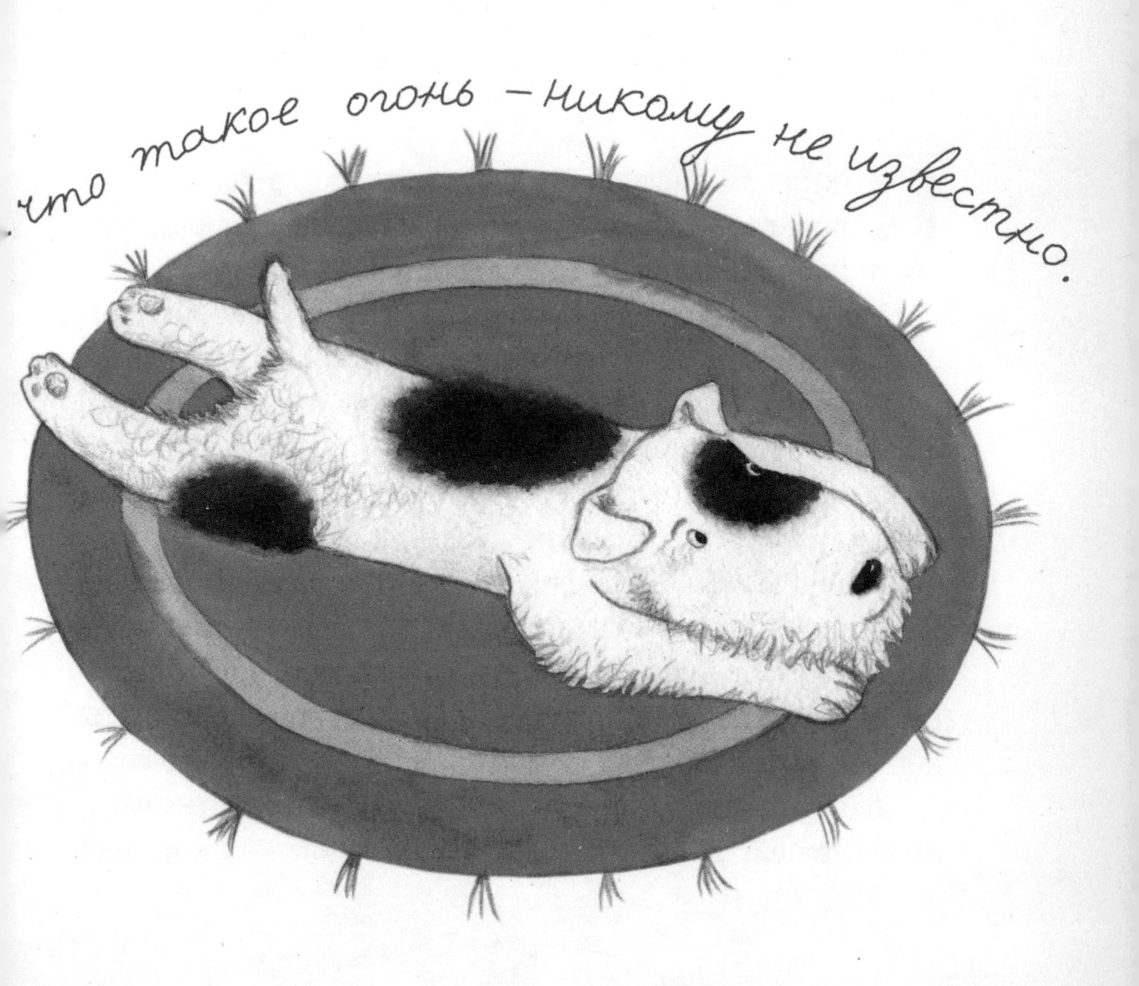

Разные вопросы, мой сон и собачьи мысли

Вопросом называется такая строчка, в конце которой стоит рыболовный крючок — вопросительный знак.

Меня мучают пять вопросов. Почему Зинин папа сказал, что у него «глаза на лоб полезли»? Никуда они не полезли, я сам видел. Зачем же он говорит чепуху? Я прокрался к шкафу, сел перед большим зеркалом и изо всех сил закатил кверху глаза. Чушь! Лоб где был, там и есть, и глаза на своем месте.

Живут ли на Луне фоксы, что они едят, и воют ли на Землю, как я иногда на Луну? И куда они деваются, когда тарелка Луны вдруг исчезает на много дней неизвестно куда?.. Микки, Микки, поосторожнее, так ты когда-нибудь сойдешь с ума!

Зачем рыбы лезут в пустую сетку, которая называется вершей? Не умеешь жить над водой — ну и сиди себе тихо в пруду. Очень мне их жалко! Утром плавали и пускали пузыри, а вечером их уже съели. Да еще и эта мерзкая кошка головы по саду растаскала…

Почему Зинина бонна* вчера была брюнеткой, а сегодня у нее волосы как сноп соломы? Зина захихикала, а я испугался и подумал: хорошо, Микки, что ты фокс… Вот женили бы тебя на такой бонне: во вторник она черная, в среду — оранжевая, а в четверг — голубая с зелеными полосками… Уф! Даже температура поднялась.

Почему, когда я себя веду плохо, на меня надевают намордник, а садовник два раза в неделю напивается и буянит, как взбесившийся бык,— и хоть бы что?!

Зинин дядя говорит, что садовник был контужен на войне, и поэтому к нему надо относиться снисходительно. Непременно узнаю, что такое «контужен»,

* Бонна — в прошлом так называли воспитательницу-иностранку при маленьких детях.

и тоже контужусь. Пусть и ко мне относятся снисходительно… Пойду, пожалуй, догрызу косточку. Я ее припрятал… хотите знать, где?.. Не скажу! Потом попишу еще.

* * *

Ох, что я видел во сне!

Будто я директор собачьей гимназии. Собаки сидят у меня по классам и учат «историю знаменитых собак», «правила хорошего собачьего тона», «как разгрызать мозговую кость» и прочие подходящие для них вещи.

Я вошел в самый младший класс и говорю: «Здравствуйте, цуцики!» — «Тяв, тяв, тяв, господин директор!» — «Довольны вы ими, мистер Мопс?» Мистер Мопс, учитель, сделал реверанс и буркнул: «Не могу пожаловаться. Стараются».— «Ну, ладно. Приказываю моим именем распустить их на полчаса раньше».

Боже мой, что тут поднялось! Малыши бросились на меня всей ватагой. Повалили на пол… Один опрокинул на меня чернильницу, другой уколол пером в кончик хвоста — ай-й! Третий принялся тянуть мое ухо в сторону, точно оно резиновое… Я завизжал, как паровоз,— и проснулся.

Луна. На полу сидит таракан и доедает оброненный Зиной бисквит. За окном хлопает ставня. Уй-юй-юй!..

Зинина комната на запоре. Я пробрался в закоулок за кухней и свернулся на коврике у кухаркиной кровати. Конечно, я ее не люблю, конечно, она храпит так, что банки дребезжат на полке, конечно, она выставила из-под одеяла свою толстую ногу и шевелит во сне пальцами… Но что ж тут поделаешь?

Окно начало светлеть, а я все лежал и думал: что означает мой сон? У кухарки есть затрепанная книжица — «сонник». Она часто перелистывает ее своими пухлыми пальцами и все вычитывает по складам про какого-то жениха. Подумаешь, жених ей понадобился! Кто на такой сковородке женится?..

Но что мне «сонник»? Собачьих снов в нем все равно нет… А может, сон этот был мне в руку? То есть в лапу?

* * *

Мысли.

Вода замерзает зимой, а я — каждое утро. Самое отвратительное человеческое изобретение — ошейники. Зачем наш сосед пашет землю и сеет хлеб, когда рядом с его усадьбой есть булочная? Когда щенок устроит совсем крохотную лужицу на полу — его тычут в нее носом; когда то же самое сделает Зинин младший братишка, пеленку вешают на веревочку, а его целуют в пятку… Тыкать — так всех!

Подрался с ежом, но он оказался нечестным: спрятал голову, и со всех сторон у него колючая спина. Р-р-р! Это что ж за драка?..

Ел колбасу и нечаянно проглотил колбасную веревочку. Неужели у меня будет аппендицит?!

Зина пахнет миндальным молоком, ее мама — теплой булкой, папа — старым портфелем, а кухарка… многоточие…

Больше мыслей нету. Взы-у! Ну почему никто не догадается дать мне кусочек сахару?!

Фокс Микки,
которому на самом деле
следовало бы быть профессором

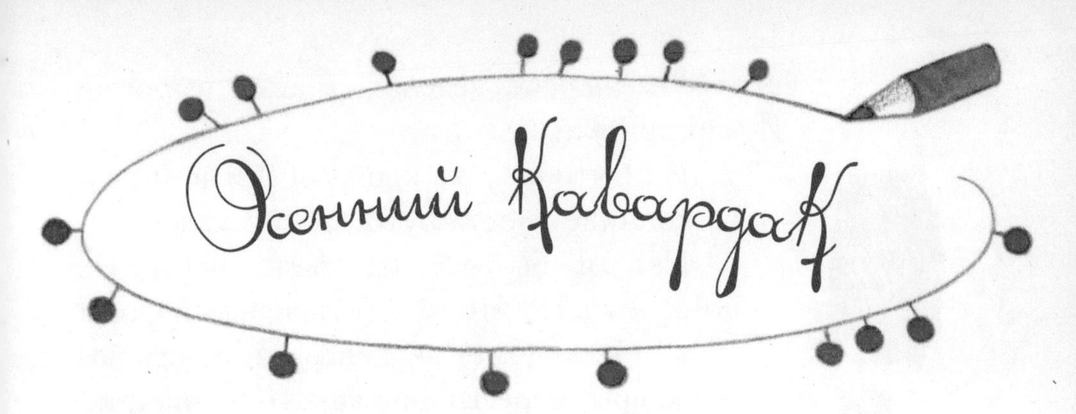

Осень. Хлюпает дождик. И как ему не надоест целый день хлюпать? Желтые листья падают и падают, скоро деревья будут совсем лысые. А потом пойдут туманы — большая дворовая собака заберется в будку и будет храпеть с утра до вечера. Я иногда хожу к ней в гости. Но она глупая и необразованная: когда я с ней играю и осторожно цапаю ее за хвост, она бьет меня лапой по голове и хватает зубами поперек живота. Деревенщина!

Туманы — туманы — туманы. Грязь — грязь — грязь. И вдруг потянет теплом. Налетят со всех сторон крикливые птицы. Небо станет, как выстиранная Зинина голубая юбка, и на черных ветках набухнут зеленые почки. Потом они лопнут, развернутся, зацветут… Ох, хорошо! Это называется — весна.

Деревья, даже старые, молодеют каждую весну. А люди и взрослые собаки — никогда. Почему? Вот Зинин дядя совсем лысый, вся шерсть с головы облезла, точь-в-точь бильярдный шар. А вдруг бы у него

весной на черепе зеленая травка выросла? И маргаритки?

Или чтобы у каждой собаки в апреле на кончике хвоста бутон распускался?..

Нет, я бы все на свете переделал по-своему. Но что может маленький фокс?

А в доме — кавардак. Снимают ковры, пересыпают каким-то «на-фта-ли-ном». Ух, как от него чихаешь! Я и в комнаты даже не хожу. Лежу на веранде и тру лапой нос. Ведь я же всегда хожу босиком, вот нафталин к лапам и пристает. Прямо беда!

* * *

Зина собирает свои книжки и мяукает. Братец ее лежит в своей колясочке перед клумбой и визжит, как щенок. И только я, фокс Микки, кашляю, как человек, скромно и вежливо: у меня бронхит… Пусть, пусть собирается. Я-то ни за что в Париж не поеду. Спрячусь в коровнике в соломе — не разыщут. Ну что там в Париже хорошего, подумайте? Был я один раз, возили к собачьему доктору. Улиц — миллион, а миллион — это много больше, чем десять. Куда ни глянь — ноги, ноги и ноги. Автомобили, как бешеные носороги, летят, хрипят, воняют — и все на меня!..

Я уж даже Зинину юбку из зубов не выпускал. Цепочка тянет, намордник жмет... Как они могут жить в такой карусели!..

Ни за что! Чтоб я целый день сидел у окна и смотрел на вывеску с дамской ногой? Чтоб меня консьержка называла «поросеночком»? Чтоб меня гоняли с кресел и с дивана?! Чтоб попрекали, что развожу в доме блох?! Я ж их не произвожу — они сами разводятся...

А какие там гнусные собаки! Бульдоги с растопыренными лапами, слюнявой мордой и закушенными языками; полосатые доги, похожие на сердитых мясников; мопсы вроде жаб, обшитых собачьей шкурой; болонки — лохматые насекомые с висячими ушами и мокрыми глазами... Фу! Гав-гав! И отчего это собаки такие разные, а кошки все на один фасон? И знаете — это, между прочим, Зина сказала,— все они похожи друг на друга: хозяева на своих собак и собаки на своих хозяев. А Микки и Зина? Что ж, и мы похожи, только бантики у нас на ошейниках разные: у нее зеленый, а у меня желтый.

Фу ты, как из дверей дует! Пальто на диване, а укрыться я не умею. Нет, что ни говори, а руки — иногда вещь полезная.

Грузовик забрал наши вещи. В столовой — бумаги и мусор. Зачем люди переезжают с места на место? Дела, учеба, квартира... «Собачья жизнь!» — говорит Зинин папа. Нет уж, собачья лучше, это я вам точно говорю.

Ба, оказывается, меня оставляют. Что ж, подружусь с дворовой собакой, ничего не поделаешь. Зина уговаривает, чтоб я не плакал, обещает раз в неделю приезжать, если я буду себя хорошо вести. Буду! Очень я ее люблю: я сегодня лизнул ее в глаз, а она меня в нос. Замечательная девочка!

Садовнику приказали меня кормить. Пусть попробует не кормить — я у него все бутылки перебью! Да и мясник меня любит: каждый раз, когда приезжает, что-нибудь даст. Котята выросли, это у них быстро... Совсем меня забыли и носятся по парку как оглашенные (интересно, что это такое — «оглашенные»?)

Но самое обидное — кончается мой последний карандашный огрызок. А с письменного стола все-все убрали. Эх, ну как же я не догадался стащить про запас! Прощай, мой дневник... Я уж Зину так умолял, так умолял — и за платье дергал, и перед письменным столом служил, но она ничего не поняла и сунула мне в рот шоколадку. Вот горе-то! Без рук тяжело, а без языка — из лап вон плохо!..

Моя заветная тетрадочка! Суну тебя под шкаф, лежи там до будущей весны... Ай-яй-яй! Гав! Кажется, Зина заметила, что я пишу... Идет ко мне! Отнима...

В доме никого нет. Во все щели дует. Вообще-то, ветер дурак: носится в голом парке, а там и сорвать нечего. Во дворе я еще кое-как с ним справляюсь: стану спиной к ветру, голову вниз, ноги расставлю — и «наплевать», как говорит садовник. А в комнатах никуда от этого злодея не спрячешься. Врывается из-под двери, сквозь оконные щелочки, сквозь каминный дымоход, и так скулит, и так подвывает, точно его мама была собакой. Вот только чем он дует — никак понять не могу…

Забираюсь под диванную подушку, закрываю глаза и стараюсь не слушать.

Отдал бы полную чашку овсянки (редкая гадость!), если б мне кто-нибудь объяснил, зачем осень, зачем зима? В аллее такая непролазная грязь, какую я видал только в клетке у носорога в Зоологическом саду. Мокро. Голые ветки стучат друг о друга и чихают. Ворона, облезлое чучело, дразнится: кра-кра, тебя почему не взяли в город?

...я люблю мышей.

Почему, почему… Потому что сам не захотел! А теперь жалею, но пока держусь молодцом. Вчера только поплакал у камина, очень уж тоскливо тут, в темноте и сырости. Свечку нашел, а зажечь не умею. У-у-у!

* * *

Скребутся мыши. Хоть фоксам и не полагается, но я очень люблю мышей. Разве они виноваты, что такие маленькие и вечно хотят есть?

Вчера один мышонок вылез из норки и стал катать по полу прошлогодний орех. А я ведь тоже ужасно люблю катать все круглое. Хотел было поиграть с ним, но удержался: лежи, дурак, смирно! Ты ведь по сравнению с ним большой, как слон,— напугаешь малыша, и он больше не придет. Ну разве я не умница?

Сегодня другой мышонок до того осмелел, что взобрался на диван и понюхал мою лапу. Я прикусил язык и вздрогнул от неожиданности. Тяф! До чего же я его люблю!

Вот только как их отличать одного от другого?..

Если кошка посмеет их тронуть, я загоню ее на самую высокую елку и буду целый день сторожить… Гав! Дрянь! Ненавижу!..

Вот почему елки всю зиму зеленые? Думаю, потому, что у них иголочки. Ветру листья оборвать только дай, а иголочки — попробуй! Они тоненькие — ветер сквозь них и проходит, как сквозь решето…

* * *

К садовнику не хожу. Он сердится: почему у меня лапы всегда в грязи? В сапогах мне ходить, что ли?

Одна только радость — нашел в шкафу старую сигарную коробку с карандашами, стащил в буфетной приходно-расходную книжку, и вот опять веду дневник.

Если бы я был человеком, непременно издавал бы журнал для собак!

Но до чего я исхудал, если б вы знали! Зинина тетя была бы очень довольна, если б была теперь похожа на меня. Она ведь все похудеть мечтала. А сама целый день жует и жует.

Проклятый садовник и консьерж сговорились — съедают все лучшее сами, а мне дают только эту кошмарную овсянку. Зато дворовому псу дают большущие кости и суп с накрошенным черствым хлебом. Он со мной делится, но где ж мне разгрызть такую костищу, если она тверже утюга? А этот суп… Таким супом в бистро́* полы моют!

Даже молока жалеют, скряги несчастные! Молоко ведь дает корова, а не они. Уж я бы ее сам подоил: мы с ней дружим, и она всегда на меня дышит, когда я прибегаю в ее сарай. Но как же я ее буду доить своими никудышными лапами?..

---

* Бистро — небольшой ресторан-кафе, где подаются простые блюда.

Придумал штуку. Стыдно, но что ж делать — есть-то хочется. Когда дождь утихает, бегаю иногда в соседнее местечко к знакомому хозяину бистро. У него по вечерам танцы под граммофон. Пляшут фокстрот.

Я на задние лапки встану, живот втяну, верчусь и головой киваю.

Все пары даже танцевать бросают… Соберутся вокруг меня и хохочут так, что граммофона не слышно. И уж такую порцию жаркого мне закажут, что я чуть жив домой добираюсь. Да еще и телячью косточку в зубах тащу на завтрак…

Вот как унижаться приходится ради пропитания!

Жаль только, что нет здесь еще одной маленькой собаки. Мы б с ней танцевали вдвоем и всегда были бы сыты.

* * *

Надо записать все огорчения, а то потом забуду.

Петух ни с того ни с сего клюнул меня в нос. А ведь я только подошел поздороваться… Зачем же драться, нахал горластый?! Плакал, плакал, сунул нос в корытце с дождевой водой — и все равно до вечера не мог успокоиться…

Зина меня забыла!

В мою чашку с овсянкой забрался черный таракан и утонул. Какая мерзость! Птицы, кроме петухов, еще туда-сюда; кошки — гадость, но все-таки звери. Но зачем вообще нужны тараканы?!

На шоссе чуть не попал под автомобиль. Почему он не сигналил на повороте?! Почему обрызгал меня грязью?! Кто теперь меня отмоет? Н-ненавижу автомобили! И не по-ни-ма-ю…

Зина меня забыла!..

Спугнул в огороде дикого кролика, погнался за ним и налетел на колючую проволоку. Уй-ю-юй, как больно! Зина говорила, что если поцарапаешься ржавым железом, надо сейчас же мазаться йодом. Где я возьму йод? И он ведь щиплет — я точно знаю…

Мыши погрызли мой дневник. С ними покончено — никогда больше не буду любить мышей!

Зина меня забыла…

Сегодня нашел в бильярдной кусочек засохшего шоколада и съел. Это, правда, не огорчение, а наоборот. Но радостей у меня так мало, что не стоит на них отдельную страницу тратить.

Одинокий, несчастный,
холодный и голодный
фокс Микки

Вы любите чердаки? Я — очень. Люди складывают на чердаках самые интересные вещи, а по комнатам расставляют всякие скучные столы и дурацкие комоды.

«Когда сердце мое разрывается от тоски» (так говорит Зинина тетя), я прибегаю из голого парка, вытираю об диван лапы и мчусь на чердак.

Над стеклом в потолке пролетают воробьи — они вроде мышей, только с крылышками. «Чик-чивик!» — «Доброе утро, силь ву пле!*»

Потом я здороваюсь со старой Зининой куклой. У нее чахотка, она лежит в пыльной дырявой ванне, задрав кверху пятки. Я ее перевернул, чтобы она выглядела прилично… Поговорил с ней о Зине. Да, конечно, сердце девочки — одуванчик. Забыла куклу, забыла своего Микки…. А потом у нее появится дочка, и все начнется сначала… Новая дочка, новая кукла, новая собака. Апчхи! До чего же здесь пыльно!

---

* Пожалуйста (франц.)

Обнюхал разбитую люстру, лизнул резиновую собачку — у нее, у бедной, в животе дыра… Растерзал в клочки собачью плетку…

«И скучно, и грустно, и некому лапу пожать!»…

Если бы я был посильнее, я бы отодвинул старую ванну и устроил себе на чердаке жилье. Под хромой диван подставил бы попугайскую клетку — это была бы моя спальня. На китайском бильярде устроил бы письменный стол. Он покатый — очень удобно писать!

Туалет устрою на крыше. И гигиенично, и приятно. Буду лазать, как матрос, по лестнице в слуховое окошко.

А намордник свой сброшу в дымовую трубу!!! Апчхи!.. Чихнул — значит, так и будет.

Ай! На шоссе какой-то экипаж… Чей? Чей? Чей? И-и-и! Зина приеха…

* * *

Третью неделю живу в Париже. Мой адрес — рю* д'Ассомпсион, дом 16. Третий этаж направо.

Вы бы меня не узнали: лежу у камина на подушечке, как фарфоровая кошка. Пахнет от меня сиреневым мылом, на ошейнике — серебряная визитная карточка с адресом… Если б я умел говорить, стащил бы франк и купил себе крахмальные манжеты.

---

* Улица (франц.).

Зина в школе… На соседнем балконе сидит премерзкая собачонка. В ушах пакля, на глазах пакля, на шее пакля. Какая-то слезливая муфта, помойная тряпка, писклявая дрянь! И знаете, как ее зовут? Джио-ко-нда… Морда ты, морда!

Когда никого нет на балконе, я ее дразню. Ах, какую великолепную истерику она закатывает! Как кот, угодивший под автомобиль.

— Яй-яй-яй-и-и! Уй-уй-у-йо! Ай-ай-ай-йе!..

Колобком прибегает ее хозяйка, такая же коротенькая, лохматенькая, пузатенькая, халат на ходу застегивает, и, боже мой, чего она только не наговорит:

— Деточка моя, пупупусичка! Кто тебя обидел? Бедные мои глазочки! Чудные мои лапочки! Драгоценный мой хвостичек!..

А я в комнату со своего балкона спрячусь, точно меня и на свете нету, по ковру катаюсь и лапами себя по носу колочу. Это я так смеюсь.

Внизу, вверху, справа и слева здесь играют на пианино. Я бы им всем лапы отрубил! Зина в школе. И зачем девочке так много учиться? Все равно вырастет, острижет косу и будет на кушетке по целым дням валяться. Уж я эту дамскую породу знаю.

Вчера из усадьбы приезжал садовник. Привез яблоки и яйца. Лучшие отобрал для кухарки, а худшие — для Зининых родителей. Вот и пойми этих людей: носят очки, а ничего у себя под носом не видят…

На соседнем балконе сидит премерзкая...

* * *

Был с Зиной в кино. Очень разволновался. Как это, как может быть, чтобы люди, автомобили, дети и полицейские бегали по полотну?! И почему они все серые, черные и белые? Куда подевались краски? И почему все шевелят губами, а слов не слыхать?..

Вот, Микки, ты и опростоволосился, а еще думал, что все понимаешь!

Кино было страшно глупое: он влюбился в нее и поехал на автомобиле в банк. Она тоже влюбилась в него, но вышла замуж за его друга. И поехала на автомобиле к морю с третьим. Потом были пожар и землетрясение в ванной комнате. И качка на пароходе. И какой-то негр пробрался к ним в каюту. А потом все помирились...

Нет, собачья любовь благороднее и выше!

Непременно надо изобрести кино для собак. Это же бессовестно — все для людей: и газеты, и скачки, и карты. А собакам — ничего.

Пусть водят нас хоть раз в неделю, а мы, сложив лапки, будем культурно сидеть и наслаждаться.

«Чужая кость»... «Похороны одинокого мопса»... «Пудель Боб надул мясника» (для щенков)... «Сны старого дога»... «Сенбернар спасает замерзшую девочку» (для пожилых болонок)... «Полицейская собака Фукс посрамляет Ната Пинкертона» (для детей и собак).

Ах, сколько тем вокруг, Микки!.. Ты бы писал собачьи сценарии для кино и ни в чем не нуждался…

Новый стишок:

> На каштанах надулись почки,—
> Значит, скоро весна.
> У Зининой мамы болят почки,
> Потому-то она грустна…

Главный собачий режиссер
фокс Микки

На пляже

Ах, как переменилась моя жизнь! Зина влетела в комнату, хлоп и — сделала колесом реверанс, ручки — птичками, глазки — вниз, и ляпнула:

— Микки! Мой обожаемый принц… мы едем к морю!

Я сейчас же помчался вниз, к консьержкиной болонке. Она родилась у моря и относится ко мне с симпатией.

— Кики, дорогуша… меня везут к морю. Что это такое?

— О! Это много-много воды. В десять раз больше, чем в фонтане в Люксембургском саду. И везде сквозняк. Моей хозяйке было хорошо, она затыкала уши ватой… Море то рычит, то шипит, то молчит. Никакого порядка! За столом слишком много рыбы. Дети роются в песке и наступают собакам на лапы. Но ты фокс: тебе будут бросать в воду палки, и ты их будешь вытаскивать…

— Чудесно!

— А когда ты устанешь, возле моря на горке всегда есть лес. Будешь разрывать кротовые норы и валяться в вереске.

— Это еще что за штука?

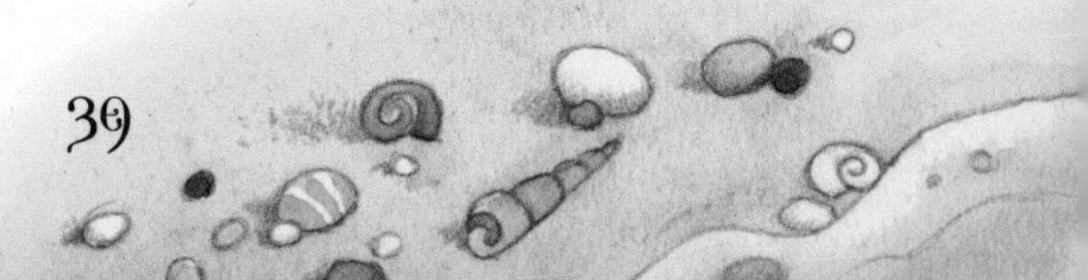

— Травка такая курчавенькая. Цветочки лиловые, и пахнет скипидарчиком.

— Ну, спасибо! Дай лапку. Что тебе привезти оттуда?

— Утащи у какой-нибудь девчонки теплый шарфик. Мой уже никуда не годится.

— Кики, я честный фокс! Воровать вещи! Нет, я не могу. Но сегодня у нас гости, я стащу для тебя шоколадного зайца.

— Мерси. Прощай, дорогой... Она ушла в угол и смахнула слезу о портьеру. Кажется, Кики в меня влюблена.

* * *

«В десять раз больше фонтана...» У этих болонок никакого глазомера. В двадцать раз! В сто! До самого неба вода и больше ничего. И соленая, как селедка... Но почему соленая? Дождик пресный, и ручеек, который все время подливает в море воду, тоже пресный. В чем дело?

Люди ходят почти голые, в полосатых и черных попонках. Пуговицы на плече. Вообще — глупо. Я, слава богу, купаюсь без купального костюма. Ах, что мы с Зиной выделываем в воде! Я лаю на прибой, а она бросает в меня мячик... Но он большой и скользкий, а пасть у меня маленькая. И никак его не прокусишь! Гав!

Подружился со всеми детьми. Есть такие маленькие, что даже не могут сказать «Микки» и зовут меня

У детей никаких хвостиков нету...

просто: «Ми»! Сидят голенькие на песке и пускают пузыри. А один старается ногу в рот засунуть. Зачем?..

Я купаюсь, вытаскиваю из воды детские кораблики, прыгаю через песочные замки, бегаю наперегонки с пуделем Джеком, и весь берег меня знает. «Какой чудный фокс! Чей это фокс? Зинин? Замечательный фокс!..»

Вчера все-таки подсмотрел. У детей никаких хвостиков нету. Напрасно я сомневался…

* * *

Теперь про взрослых. Мужчины ходят в белых костюмах. Полдня курят. Полдня читают газеты. Полдня купаются. Полдня снимаются у фотографа. Плавают хорошо, но слишком далеко заплывают. Я слежу за ними с лестницы и волнуюсь: а вдруг утонет? Что я тогда должен делать?

Очень хорошо прыгают в воду с мостика. Руки в стороны, голову вперед — и бум! Перевернется в воздухе, руки вниз — и рыбкой прямо в воду… Пена… Никого нет… И вдруг выплывет совсем в другом месте.

Я тоже взобрался на мостик и очень-очень хотел прыгнуть. Но так высоко! И так глубоко! Задрожал и тихонько спустился вниз. Вот тебе и Микки!..

Дамы опять переодеваются и переодеваются. Потом раздеваются, потом опять переодеваются. Купаться они не очень любят. Попробует большим пальцем правой ноги воду, присядет, побрызгает на себя водой и опять лежит на берегу, как индюшка в гастрономической витрине.

Конечно, есть и такие, которые плавают. Но те больше похожи на мальчиков. В общем, ничего-то я не понимаю.

Сниматься дамы тоже любят. Я сам видел. Одни лежали на песке. За ними стояли на коленках другие. А над ними во весь рост стояли третьи. Называется: групповой снимок… Впереди фотограф воткнул в песок табличку с названием нашего курорта. И вот та дама, которую табличка немножко заслонила, передвинула ее тихонько к другой даме, чтобы ее заслонить, а себя открыть… А та передвинула назад. А первая — опять к ней. Ух, какие же у них были злющие глаза!

Стишок:

Когда дамы снимаются
И заслоняются,
Они готовы одна другой
Дать в глаз ногой!..

А что я узнал!.. Море иногда сходит с ума и уходит. Курорт ему надоедает или что там, я не знаю. И на песке остаются всякие ракушки, креветки и водоросли. А потом море соскучится и придет назад. Называется «прилив» и «отлив».

Люди почему-то называют здешнее море океаном.

Я однажды погнался за морем, когда оно уходило, но Зина привязала меня чулком к скамейке. Совершенно нелюбознательная девочка!

Вчера познакомился в соседнем пансионе для русских с кухаркой Дарьей Галактионовной. Руки у нее толстые, как итальянская колбаса, но, в общем, она славная. Называет меня Микитой и все ворчит, что я с пляжа в кухню песок на лапах таскаю.

Песок, что ли, трудно вымести? Экая важность…

* * *

Еда здесь так себе. Хотя я не очень интересуюсь: дети целый день кормят меня шоколадом, котлетками и чем только хотите. Зина просит, чтобы я так много не ел, а то у меня сделается ожирение сердца и меня придется везти в Мариенбад. А что, если б был курорт специально для фоксов? Фоксенбад! Вот там бы и открыть собачий кинематограф… Собачьи скачки, собачью рулетку, собачий санаторий для подагрических бульдогов… Нет, я умру от злости! Почему, почему, почему для нас ничего не делают?

А вчера Зина устроила мне лунное затмение. Луна была такая круглая, огромная, бледно-сиреневая… Совсем как живот у нашего хозяина пансиона. Я задумался, загрустил и чуть-чуть повыл. Так, две-три нотки… А Зина взяла и надела мне на голову купальные штаны.

— Ты,— говорит,— не имеешь права после десяти часов вечера выть!..

Ну, во-первых, у меня нет часов, и даже кармана для них нет… А во-вторых… во-вторых, настроение от часов не зависит.

Хотел послать Кики открытку… Но консьержка у нас ревнивая — точно не передаст.

Чудный и замечательный
фокс Микки

В Зоологическом саду

У Зининого папы вечно «дела». У людей так уж заведено — за все нужно платить. За жилье, за зонтик, за мясо, за булки, за ошейник… и даже поговаривают, что скоро на фоксов двойной налог введут.

А чтобы платить — нужны деньги. Деньги бывают круглые, металлические, с дырочками — это сантимы. Круглые без дырочек — это франки. И потом всякие бумажные. Бумажные почему-то ценятся дороже и начинаются с пяти франков. Деньги эти то «падают», то «поднимаются», но я не человек, и меня это не касается.

Так вот, чтоб иметь деньги, надо делать «дела». Понятно? И Зинин папа для этого поехал на неделю в Париж и взял с собою Зину, а Зина — меня.

И пока ее папа бегал по делам (он почему-то по делам всегда бегает, а не ходит), Зина взяла меня на поводок, села в такси (и почему в нем так скверно пахнет?) и поехала в Зоологический сад.

Сад! Одно название. Никакой это не сад, просто тюрьма для несчастных животных. Подождите мину-

Никакой это не сад, просто тюрьма для несчастных животных.

точку: у меня на спине блоха... сейчас поймаю и расскажу все по порядку.

* * *

Когда я был совсем куцым щенком, Зина мне про этот сад рассказывала: «Какой там носорог! И какая у него в вольере грязища! А ты, Микки, не хочешь, умываться... Стыд и позор!» И все оказалось неправда.

Носорога нет. Или помер со скуки, или убежал в город и скрывается в метро. Видно, не боится, что его там в толпе раздавят...

Зато видел верблюда. Он похож на нашу консьержку, только губа побольше и со всех сторон шерсть клочьями. Мало ему горба на спине, так у него даже колени горбатые! Питается колючками и, говорят, уксусом. Он, негодяй, когда Зина дала ему булочку, фыркнул, булку сжевал и плюнул ей на бант! Был бы ты, горбатый, на воле, я бы тебе показал...

Белая медведица очень ничего себе. Сидит в каменной ванне с водой и вздыхает. Свинство какое! Хотя бы на лед ее посадили или на мороженое, ведь ей же жарко!

Маленький мальчик бросил ей бисквит. Медведица вылезла, отряхнулась, вежливо приложила лапу ко лбу и съела. Будет она этим сыта, как же! А мальчик второй бисквит на мелкие кусочки накрошил — воробьи все и склевали. Ну за что ее держат в этой тюрьме? У Зины есть старый игрушечный мишка. Непременно завтра притащу его сюда и брошу медведице: будет ей вместо медвежонка…

* * *

Вот кого не жалко, так это обезьян! Они страшные и пахнут так, что мне даже пришлось отвернуться. Горелой резинкой, тухлой килькой и еще чем-то… наверно, маринованным поросячьим навозом.

Одна посмотрела на меня и говорит другой: «Смотри, какой урод…»

Я-то? Гав! Это я урод?! А ты тогда что же?..

Вернемся, сразу побегу в Зинин шкафчик и понюхаю пробку от валерьянки. Что-то сердце колотится!..

Тигр — большущая кошка и больше ничего. Если его пустить в молочную, целую ванну сливок вылакает, не меньше. А потом съест молочницу и уйдет в Булонский лес* отдыхать.

Львы — ничего себе. Один совсем старичок. Кожа в складках, лысый и даже хвостом не виляет. Зина где-то читала, что львы любят, когда к ним в клетку сажают собачку. Штук пять разорвут, а с шестой подружатся. Как по мне, так лучше быть седьмой — и бегать на свободе.

Есть еще какие-то зубры. Мохнатые, рогатые, голова копной. Зачем такие? Ни поиграть с ним, ни на руки взять…

---

* Булонский лес — лесопарк в западной части Парижа. Его называют «легкими» французской столицы.

Вообще на свете много лишнего. Дикобраз, например. Ну куда он годится? Каминные трубы им чистить, что ли? Или вот кенгуру… На животе у нее портмоне, а в портмоне кенгуренок. А шкура у нее, похоже, застегивается на спине, как Зинин лифчик. Ерунда какая-то!

Слава богу, что я фокс! Собак в клетки не сажают. Хотя некоторых бы следовало: бульдогов и прочих догов. Очень несимпатичные собаки, и какие-то дикие. У нас напротив живет бульдог Цезарь. Так и норовит перед нашей дверью напакостить. Надо бы ему отомстить. Как?.. Очень просто. Дверь-то у них тоже есть…

Людей в клетках не видел. А ведь нашего садовника не мешало бы посадить! Вместе с кухаркой. И написать на табличке: «Собачьи враги». И давать им в день по кочану капусты и по две морковки. Почему они меня не кормили? Почему сами лопали и яйца, и сливки, и вино, а меня за каждую несчастную косточку шпыняли?

Видел змей. Одна, большая и длинная, как пожарный шланг, посмотрела на меня и прошипела: «Этого, пожалуй, не проглотишь!» Да кто ж тебе позволит живых фоксов глотать!

У слона два хвоста — спереди и сзади, и рога во рту… И пусть меня сто раз поправляют — мол, это «хобот» и «клыки», я все равно говорю: хвост и рога.

Зина решила, что если посмотреть на мышь в телескоп, то получится слон. А что такое телескоп, пес его знает!

Да... Птицы-то, оказывается, бывают ростом с буфет! Страусы!.. И в хвосте у них такие же перья, как у Зининой бабушки на шляпе. Перьев этих теперь не носят, молока страусы не дают, значит, надо их просто зажарить, начинить каштанами и съесть! Ты, Микки, хотел бы страусиную лапку погрызть? А что, я не прочь...

Поздно. Надо идти спать. А в голове карусель: обезьяньи морды, верблюжьи горбы, слоновьи перья и страусиные хоботы...

Пойду еще раз понюхаю валерьяновую пробочку. Сердце так и стучит... Ну и денек выдался!..

Мокс Фикки

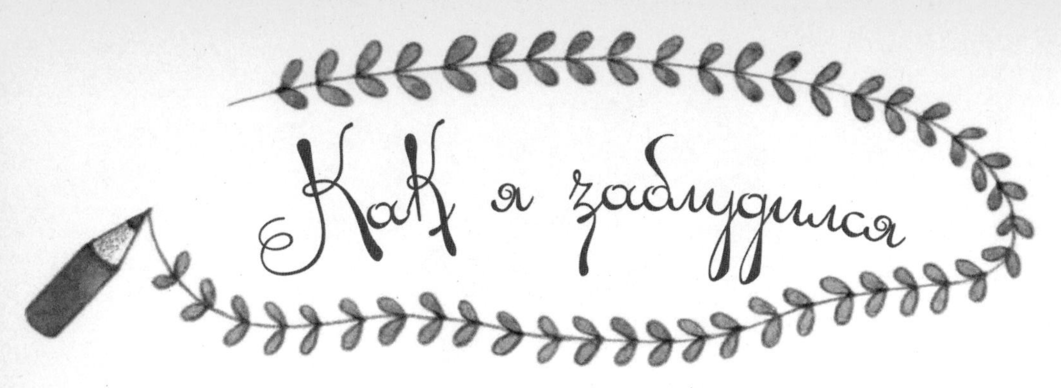

Карандаш дрожит в моих зубах... Ох, что случилось! В кино это называется «трагедия», а по-моему, еще хуже. Мы вернулись из Парижа на море, и я немножко одурел. Носился, прыгал через дам, обнюхивал знакомых детей и радостно лаял. К черту Зоологический сад, да здравствует собачья свобода!

И вот... допрыгался. Повернул к парку, нырнул в какой-то зеленый переулок, попал в чужой огород — растерзал старую туфлю,— оттуда в поле, оттуда на шоссе — и все погибло! Я заблудился... Сел на камень, задрожал и, как говорит Зина, «потерял присутствие духа». До сих пор я не знал, что такое это самое «присутствие»...

Обнюхал шоссе: чужие следы, пыль, резина и автомобильное масло... Где моя вилла? Домики вдруг стали все одинаковые, дети у калиток сделались похожи друг на друга, словно мыши. Выскочил к морю — другое море! И небо не то, и берег пустой и какой-то шершавый... Старики и дети собирают устриц со скал, никто на меня и не взглянул. Ну, конечно, устрицы

Я заблудился…

не интереснее бездомного фокса! Песок летит в глаза. Тростник лопочет какой-то вздор. Ему хорошо — прирос к одному месту, не заблудится...

Слезы горохом катятся по морде. И хуже всего то, что я голый. Ошейник остался дома, а на ошейнике мой адрес! Любая девчонка (уж я бы ее заставил!) прочитала бы его и отвела меня домой. Ох! Если б не отлив, я бы, пожалуй, утопился...

Примечание: и был бы большой дурак, потому что я все-таки нашелся.

* * *

Перед желтым забором у палисадничка я прислонился к телеграфному столбу и повесил голову. Я как-то видел на картинке заблудившуюся собачку, и поза ее мне очень понравилась.

Что ж, я не ошибся. В калитке показалось какое-то розовое пятно. Вышла девочка (они всегда добрее мальчиков) и присела передо мной.

— Что с тобой, собачка?

Я всхлипнул и поднял правую лапку. Ясно и без слов.

— Заблудилась? Хочешь ко мне? Может, тебя еще и найдут... Мама у меня добрая, а с папой мы справимся.

Что делать? Не ночевать же в лесу… Я же не дикий верблюд! И в животе пусто.

Я пошел за девочкой и благодарно лизнул ее в коленку. Если она когда-нибудь заблудится, непременно отведу ее домой…

— Мама! — запищала она. — Мамочка! Я привела Фифи, она заблудилась. Можно ее пока оставить у нас?

О! Что за «Фифи»?! Я Микки, Микки! Но ведь я, фокс, у которого столько прекрасных мыслей, не могу и полслова сказать на человеческом языке… Ну, пусть. Кто сам себе яму копает, тот в нее и попадает…

Мама надела пенсне (будто и без пенсне не видно, что я заблудился!) и улыбнулась:

— Какая хорошенькая! Дай ей, дружок, молока с булкой. У нее очень приличный вид… А там посмотрим.

«У нее»… У него, а не у нее! Я же мальчик! Но ужасно хотелось есть, и пришлось смириться.

Ел я не торопясь, словно одолжение им делал. Вы угощаете? Спасибо. Но, пожалуйста, не подумайте, что я какой-нибудь там голодный бродячий пес.

Потом пришел папа. Почему эти папы всюду суют свой нос, не знаю…

— Это что за собака? Что у тебя, Лили, за манера тащить всяких зверей к нам на виллу? Может, она чахоточная… А ну-ка прочь отсюда!

Я? Чахоточный?!

Девочка расхныкалась. Я с достоинством сделал шаг к калитке. Но тут мама строго посмотрела на папу. Он был дрессированный: фыркнул, пожал плечами и пошел на веранду читать газету. Что, съел?

А я встал перед мамой на задние лапки, сделал три па и перепрыгнул через скамеечку. Теперь вперед, тур вокруг комнаты, и назад...

— Мамочка, какой он умница!

Еще бы. Если б я был человеком, давно бы уже был профессором.

* * *

Новый папа делает вид, что меня не замечает. Я его — тоже...

Во сне видел Зину и залаял от радости: она кормила меня с ложечки гоголь-моголем и говорила: «Ты мое сокровище... Если ты еще раз заблудишься, я никогда не выйду замуж».

Лили проснулась — в окне белел рассвет — и свесила голову с кроватки:

— Фифи! Ты чего?

Ничего. Страдаю. Кошке все равно: сегодня Зина, завтра Лили. А я честный, привязчивый пес...

Второй день без Зины. К новой девочке пришел в гости толстый мальчик — кузен. У собак, слава Богу, кузенов нет... Садился на меня верхом, чуть не раздавил. Потом запряг меня в автомобиль — а я уперся!

Собаку? В автомобиль?! Тыкал моими лапами в пианино. Я все стерпел и из вежливости даже не укусил его…

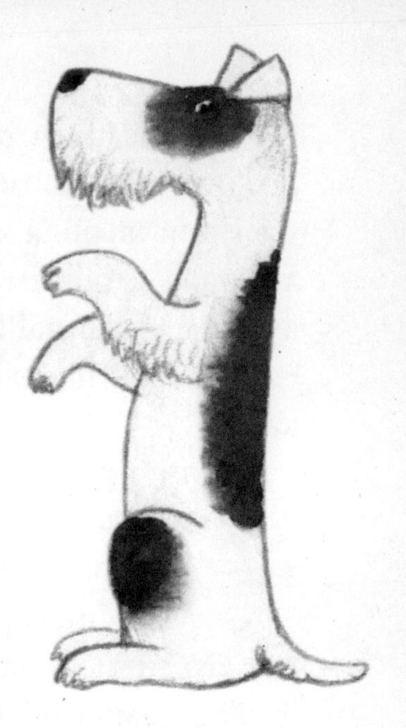

Лилина мама меня оценила, и когда девочка опрокинула тарелку с супом, показала на меня:

— Бери пример с Фифи! Видишь, как она аккуратно ест…

Опять Фифи! Когда что-нибудь не нравится, говорят: «фи!» Выходит, что «Фи-фи» — это когда совсем не нравится? Придумают же цыплячье имя… Я нашел под шкафом кубики с буквами и сложил: «Микки». Потянул девочку за юбку: читай! Кажется, яснее ясного. А она ничего не поняла и кричит:

— Мама! Фифи умеет показывать фокусы!

— Хорошо. Дай ему шоколаду.

Ах, когда же, когда же меня наконец найдут? Сбегал даже в мэрию. Может, Зина туда заявила, что я потерялся. Ничего подобного! На пороге лежала лохматая дворняжка и зарычала на меня:

— Р-рав! Ты куда, бродяга несчастный, суешься?

Я?! Бродяга?!

Счастье твое, что я с дворнягами в драку не лезу. Воспитание не позволяет…

* * *

«Гора с плеч свалилась»... Куда свалилась, не знаю, но, одним словом... я нашелся!

Лили вышла со мной на пляж. И вдруг вдали — лиловое с белым платьице, полосатый мяч и светлые кудряшки. Зина!!!

Как мы целовались, как мы визжали, как мы плакали!

Лили тихонько подошла и спросила:

— Это ваша Фифи?

— Да! Только это не Фифи, а Микки...

— Ах, Микки! Извините, я не знала. Он заблудился, и я его приютила.

А у самой в глазах — «трагедия».

Но Зина ее утешила. Поблагодарила «очень-очень-очень» и обещала приходить со мной в гости. Они подружатся, уж я это по глазам вижу.

Я, разумеется, послужил перед Лили и передние лапки крест-накрест сложил: «Мерси! И еще раз — мерси!»

И пошел, слегка сконфуженный, за Зиной, ни на шаг не отдаляясь от ее милых смуглых ножек.

Микки

В цирке

Рядом с нашим вокзалом появились длинные дома на колесах. Не то фургоны, не то вагоны. Красные, с зелеными ставенками, над крышей труба, из трубы дым. На откидной ступеньке одного такого дома сидит карлик с огромной головой и красными глазами и мрачно курит трубку. А в глубине двора тоже фургоны, но с решетками, и пахнет от них густо-прегусто Зоологическим садом.

На афишах — чудеса… Три льва прыгают через укротительницу, а потом играют с ней в жмурки. Тюлень жонглирует горящей лампой и бильярдными шарами. Тюлень — такой неповоротливый тюфяк, кто бы подумал! Знаменитый пудель Флакс решает задачи на сложение и вычитание… Скажите пожалуйста! Я и делить, и умножать умею, однако в знаменитости не лезу… Мисс Каравелла исполнит на неоседланном жеребце джигу — матросский танец. Негр Буль-Пуль… Стоп! Не забегай вперед, Микки, а то совсем спутаешься!

* * *

Зинин папа взял нам ложу в цирке: мне и Зине. Ложа — это такая будка, вроде собачьей, но без крыши. Обита красным вонючим коленкором. Стулья складные и жесткие, потому что цирк походный.

Оркестр ужасный! Я вообще музыки не выношу, особенно граммофон. Но когда один плюет в флейту, а другой стоймя поставил огромную скрипку и ерзает по ней какой-то линейкой, а третий лупит палками по барабану, локтями о медные планки и ногами в большой пузатый бубен, а четвертая, какая-то лиловая курица, разъезжает взад и вперед по пианино и еще подпрыгивает... О-о! «Слуга покорный» — как говорит Зинин дядя-холостяк, когда ему предлагают жениться.

Клоуны — просто раскрашенные идиоты. Я думаю, что они не притворяются, такие и есть. Разве станет умный человек подставлять морду под оплеуху, кататься по грязным опилкам и мешать служителям убирать ковер? Ничего смешного. Одно мне понравилось: у того клоуна, у которого сзади на широких штанах было нарисовано солнце, чуб на голове вставал дыбом и опускался... Ладно бы ухо, это я понимаю, но чуб! Очень любопытный трюк!

Жеребец — толстяк, а что он не оседлан, вообще не

важно. У него такая широкая спина, что пляши на ней, как на хозяйской кровати, сколько хочешь. Прыгал он лениво, как корова... А мисс Каравелла все трусливо косилась на барьер и делала вид, что она первая наездница в мире. Костюмчик у нее славненький — вверху ничего, а посредине зеленый и желтый бисер. И зачем она так долго ездила? Жеребец под конец так вспотел, что я расчихался. Ничего интересного...

Потом поставили круглую решетку, подкатили к дверям клетку, и вышли львы. Вышли — и зевают. Нечего сказать, дикие звери! Зина немножко испугалась (девчонка же!), но ведь я сидел рядом. Чего бояться? Львы долго не хотели прыгать через укротительницу: уж она их упрашивала, и под шейкой щекотала и на ухо что-то шептала, и бичом под брюхо толкала. Наконец согласились — и перепрыгнули. А потом завязала им глаза белыми лентами, взяла в руки колокольчик и стала играть с ними в жмурки. Один лев сделал три шага и лег. Другой понюхал и пошел за ней... Сплошной обман! Я сам видел: у нее в руке был маленький кусочек мяса... Неинтересно!

Вышло еще голландское семейство эквилибристов. Папа катался на переднем колесе от велосипеда (отдельно!), мама на другом колесе (тоже отдельно!), сын скакал верхом на большом мяче, а дочка — на широком обруче задом наперед... Вот это здорово!

Потом летали тарелки, ножи, лампы, зонтики, мальчики и девочки. Ух! Я даже залаял от удовольствия.

А под конец все семейство устроило пирамиду. Внизу папа и мама, на плечах две дочки, у них на плечах мальчик, у него на плечах собачка, у собачки на плечах котенок, а у котенка на плечах… воробей! Трах — и все рассыпалось, закувыркалось по ковру и убежало за занавеску… Браво! Бис! Гав-гав-гав!

* * *

В антракте было еще веселей. Антракт — это когда одно кончилось, а другое еще не началось. И вот взрослые с детьми постарше пошли за занавеску смотреть лошадей и прочих млекопитающих, а самые крошечные дети вылезли из всех лож и углов на арену и устроили собственный цирк.

Девочка с зеленым бантом изображала дрессированную лошадь и на четвереньках гарцевала по барьеру: голова набок, а сама брыкает правой ножкой. Мальчишки, конечно, стали львами и, пожалуй, даже свирепее настоящих — рычали, плевались, кусались и бросали друг в дружку опилками. А я носился по всей арене и хватал их всех (шутя, конечно!) за пятки.

Наконец вышел карлик в сиреневом сюртучке с медными пуговицами и зазвонил в колокольчик. Дзинь-дзинь-дзинь! Долой с арены — представление продолжается! Один из «львов», совсем

еще маленький мальчик, ни за что не хотел уходить. Тогда пришла его мама из ложи, взяла «льва» на руки, шлепнула и унесла на место. Вот тебе и лев!

* * *

Тюлень — молодец. Вернусь домой и обязательно попробую жонглировать горящей лампой. У меня, правда, не такой удобный нос... Ну и что, возьму маленькую лампочку...

Я побежал за занавеску: оказывается, у тюленя в загородке есть цинковая ванна, а после представления ему дают живую рыбу и бутерброды с рыбьим жиром. Здорово!

Да, а что еще я заметил! Под края циркового шатра подлезают бесплатные мальчишки и смотрят представление... А карлик бегает вокруг цирка и хлопает их прутом по пяткам.

Негр Буль-Пуль похож на сумасшедшего. Играл на метле «марш пьяных крокодилов», аккомпанировал себе на собственном животе, а ногами выделывал такие штуки, точно у него четыре пары лап... И пахло от него корицей и жженой пробкой!

Потом вышел факир. Факир — это человек, который сам себя режет, а ему даже приятно, и крови нет. Он себя, должно быть, замораживает перед представлением. Проткнул себе губы вязальной спицей, под мышку вбил гвоздь... Я даже отвернулся, нервы не выдержали... А самое ужасное: взял у толстого солдата из публики карманные часы, проглотил их — только кончик цепочки изо рта торчит, и пригласил публику послушать, как у него в груди часы тикают. Уж-жас! Мороз по коже!

Кажется, все. На закуску вылетела на арену крохотная мохнатая лошадка с красной метелкой над головой и с колокольчиками. Я и не знал, что есть такая порода, вроде лошадиных болонок! Лошадка так отлично прыгала сквозь обруч, становилась на задние лапы и брыкалась, что Зина пришла в восторг. Я тоже.

Удивляюсь, почему Зинин папа не купит ей такую лошадку... Мы бы запрягли ее в маленький шарабанчик и катались по пляжу. Это тебе не то, что на осле, да черепашьим шагом!.. И все бы удивлялись, и я бы получал много сахару...

«Кто едет?» — «Микки с Зиной!»

«Чья лошадка?» — «Миккина и Зинина!» Чудесно!

Устал. Больше не могу писать... Вот сейчас только подпишусь и бегу на пляж играть в цирк. Бум-бум!

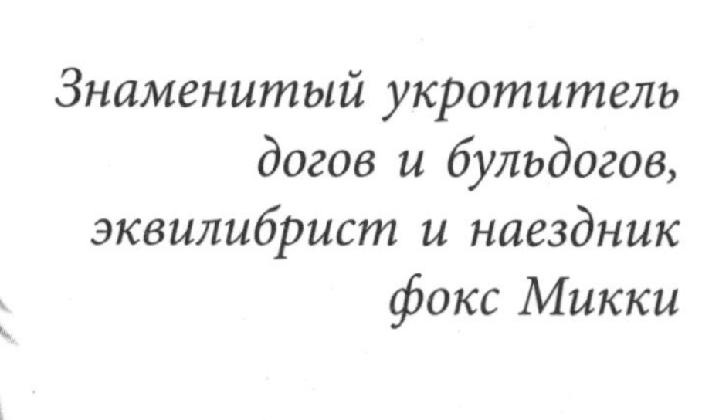

Знаменитый укротитель
догов и бульдогов,
эквилибрист и наездник
фокс Микки

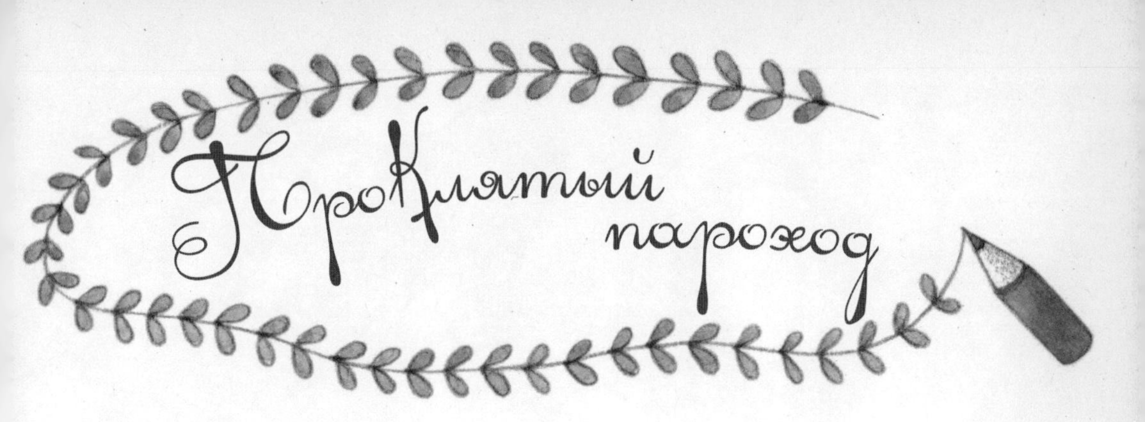

Проклятый пароход

У курортной пристани качался белый дом-пароход. Труба, балкончик для капитана, внизу — круглые окошечки, чтобы рыбы могли заглядывать в каюты. Спереди нос острый, сзади — тупой… Вода пошлепывает снизу, веревка скрипит, из пароходной печки — дым клубами.

«Гу-гу-у!» Фу, как противно ревет сирена! Все затыкают уши, а я не умею… Зина берет меня на руки — я дрожу, доски под нами тоже трясутся — и несет меня на эту противную штуку. За нами — папа.

Прогулка! Мало им на суше места… Я хоть плавать умею, а они что будут делать в своих ботинках и чулках, если пароход перевернется?

Люди идут, идут, идут. Чистые костюмчики, из карманов — платочки, и все толкаются, и все извиняются. Пардон-пардон! А ты не толкайся, и пардон свой себе оставь, а то все лапы отдавили…

Уселись на скамейках по бокам, и вверху, и внизу, как воробьи на телеграфных проводах… Небо качается,

Люди идут, идут, идут...

берег качается, и пол под нами качается. И я совсем потерял центр тяжести, лег на пол и распластался, как лягушка на льду.

Так истязать сухопутного фокса! За что?!

«Гу-гу-гу-у!» — поехали. Все машут лапами, посылают безвоздушные поцелуи. Подумаешь... Всего на три часа уезжаем, и такое лицемерие. Подкрался к загородке посреди парохода и посмотрел вниз: железные лапы ходят, чмокают и переворачиваются, а главная нога, вся в масле, сама вокруг себя пляшет... Машина! «Чики-фуки, фуки-чики, пики-Микки, Микки-пики...»

Да остановись ты хоть на минутку!!!

* * *

Пока шли проливчиком — ничего. А потом заливчик, а потом... ух-х! Там море, тут море, небо с водой сошлось, горизонты какие-то со всех сторон появились... Да разве так можно? А земля где? За пароходом — белый кипяток, чайки вперегонки за нами летят и мяукают, как голодные котята... Столько рыбы в море, целый день ловить можно, чего им еще?

Ну что ж, раз прогулка, нечего пресмыкаться под скамейкой. Пошел по ногам, ноги вежливо отодвигаются. Пардон, пардон!.. У матросов деревянные башмаки корабликами, у мужчин-пассажиров обыкновенные белые и желтые туфли. Практично и симпатично. А у дам что ни нога, то другой фасон: с бантиками, с пряжечками, с красным переплетом, с зелеными каблучками... Кто им эти фасоны придумывает?..

Был у капитана на балкончике. Старенький, толстенький, борода, как у Деда Мороза, глазки голубенькие. Расставил ноги и развлекается: колесо с палками повернет в одну сторону, потом в другую, потом в третью, а сам в трубку рычит: «Доброе утро! Полдоброго утра! Четверть доброго утра!» Впрочем, может, и не так, опять я что-то напутал.

Нашел и кухню. Пол себе качается, а она свое дело делает. Варит. Повар сунул было мне в нос омара с клешнями... Но я так посмотрел на этого повара, что ему стало стыдно, и он высморкался.

А пол все поднимается и опускается, волны, как бульдоги, со всех сторон: морды в пене, и все на меня. Ай! Поднимается, опускается... Смеетесь! Пусти-ка краба на сушу, небось, ему тоже будет несладко... Ветер свистит и выворачивает уши наизнанку. Ай-й!..

У нашего соседа слетела в воду шляпа. «Свежеет!» — успокоил его Зинин папа. Свежеет, называется... Ба-бах! Ба-ба-бах!

Я прижался к ногам незнакомой старухи, закрыл глаза и тихонько-тихонько завизжал: «Море! Ну пожалуйста, ну перестань, ну успокойся! Я никогда больше никуда не поеду. Я маленький фокс, ничтожная собачка, за что ты на меня сердишься? Я же тебя никогда не трогал, никогда на тебя не лаял!» (Ух, как я врал!)...

Так оно тебе и перестанет. И тогда я вышел из себя. Вспрыгнул на скамейку, повернулся к морю спиной и наступил лапой на спасательный круг. На всякий случай, если бы пришлось спасать Зину, ее папу и капитана. Повар пусть тонет… Нет, спас бы и повара, пес с ним…

* * *

Все? Нет, не все! Эти жадные сухопутные люди уже не знают, что и придумать. Мало им берега, леса, поля, шоссе. Летать им понадобилось! Сели на провонявшую бензином этажерку… и полетели. Даже смотреть страшно. Но ведь летают только некоторые сумасшедшие, у них, верно, нет родителей, и некому их остановить. А по морю катаются все: дети, мамы, папы, дедушки и даже грудные младенцы. Вот судьба («судьба» — это что-то вроде большущей злой летучей мыши) их и наказывает…

Качались-качались — и докачались. Собаки, говорят, нехорошо себя ведут. Какие там собаки… Посмотрели бы вы, как ведут себя на пароходе люди в чистеньких костюмчиках, с новыми платочками в карманах, когда начинается качка!

Я закрывал глаза, старался не дышать и нюхал лимонную корочку... Бр-р-р!

Но Зина — молодец. И ее папа — молодец. И капитан — молодец... А я... нет, лучше и не спрашивайте.

* * *

Когда показалась земля, миленькая зелененькая земля, твердая земля с домиками, собачками, мясными лавками и купальными будками на пляже, я завизжал так пронзительно, что заглушил даже пароходный гудок.

Клянусь и даю честное фоксово слово, что лапы моей никогда больше ни на одном пароходе не будет! Почему меня всюду за собой таскают?.. Завтра Зинин папа затеет прогулку в облаках, так и я с ними летать должен?! Пардон! Силь ву пле!

Ну, вот! Так я и знал. Этот папа подцепил на берегу рыбака и заказывает ему на завтра ночную прогулку на барке с луной и рыбной ловлей...

На луну я и с берега посмотрю, а рыбу ешьте сами...

Море сегодня, правда, тихое,— но знаем мы эту тишину! В комнате гораздо тише. Пол не качается, потолок не опрокидывается, пена не суется в окошко, и люди вокруг не зеленые и не желтые. Бр-р!..

Старый морской волк —
фокс Микки

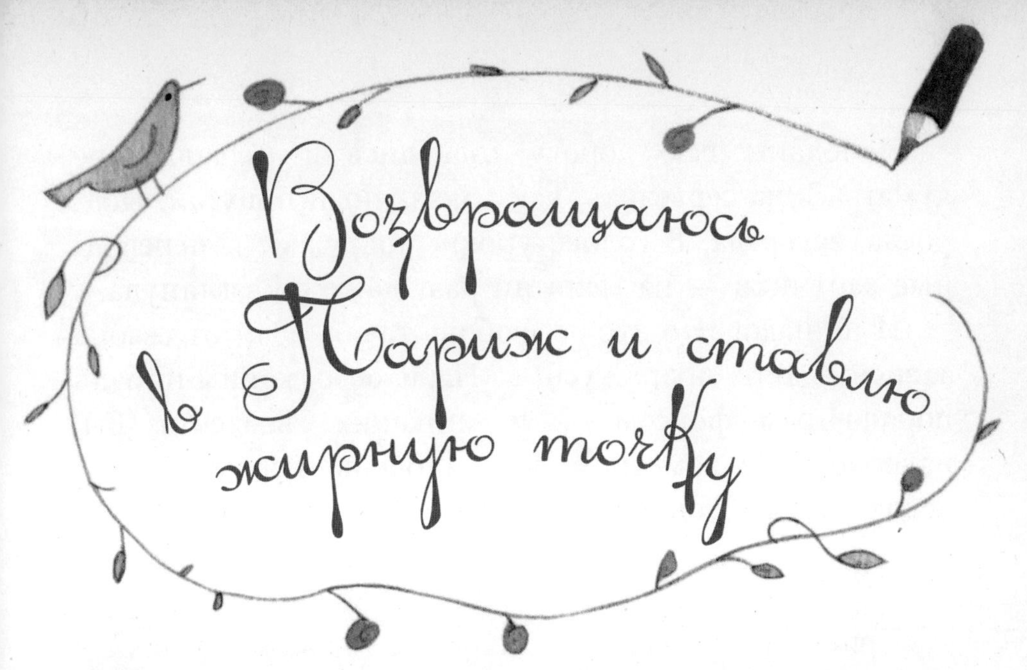

Возвращаюсь в Париж и ставлю жирную точку

На веранде стояли чемоданы: свиной кожи, крокодиловой кожи и один маленький… уж и не знаю, чьей. В палисаднике желтые листья плясали фокстрот.

Я побежал к океану: прощай-прощай!.. «Плюх!» Фу, какой невежливый. С ним прощаются, а он волной в морду…

От полотняных купальных будок остались одни ребра. Небо цвета грязной собаки. Астры висят головками вниз, скучают. Прощайте, до свидания! Хоть вы и без запаха, но я вас никогда, никогда не забуду…

Простился и с лесом. Он, верно, ничего не понял: зашумел, залопотал… Что ему маленький Микки?

Простился с лавочницей. Она тоже грустная. Сезон закончился, а ее тухлые кильки так и не распроданы.

Чемоданы всю дорогу толкались и мешали мне думать. Зина серьезная, как наказанный попугай. Подросла, загорела. В голове уроки, подружки и переводные картинки — на меня ни разу даже не взглянула...

И не надо! Что это за любовь такая, если от сезона зависит? Вот подружусь в Париже с каким-нибудь порядочным фоксом — и «никаких гвоздей»! (Вы, наверно, уже заметили, что я очень люблю глупые человеческие слова повторять)...

* * *

Приехали. Риехали. Иехали. Ехали. Хали. Али. Ли. И... Это я так нарочно пишу, а то лапа совсем затекла.

Консьержкина болонка посмотрела на меня с порога и отвернулась. Герцогиня какая! Ладно, я, между прочим, тоже умею важничать. Вот повезут меня на собачью выставку, получу золотую медаль, а ты лопни от зависти в своей берлоге.

Совсем отвык от мебели. Тут буфет, там полубуфет, кровати — шире парохода, хоть бы лестнички к ним приставили... Гадость какая! А они хотят еще старую шифоньерку купить — у мебельщика внизу! Красного дерева, говорят. Да пусть хоть фиолетового — грош ей цена.

Ох, как тесно в квартире! Горизонта нету, лес в трех вазонах, перескочить можно. И попрыгать не с кем. Зина в школе, кухарка сердитая и все губы мажет.

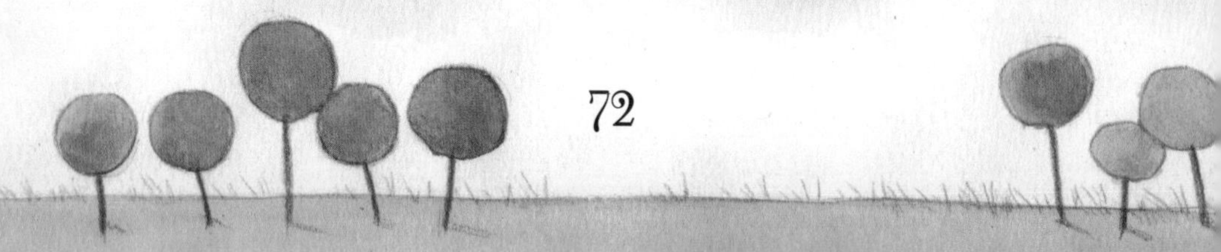

Ох, как тесно в квартире
Горизонта нету…

Вот возьму и съем твою помаду, будешь знать, как сердиться!

На балконе коричневые листья корчатся и шуршат. Воробей к нам повадился прилетать. Я ему булочку накрошил, а он у самого моего носа прыгает и клюет. Вчера от скуки мы с ним поболтали.

— Ты где живешь, птичка?

— Да везде.

— Ну как это — везде?.. Мама и папа у тебя есть?

— Мама в другом районе, а папа в Сен-Клу улетел...

— Что же ты один делаешь?

— Прыгаю. Над сквером полетаю, на веточке посижу. Вот ты у меня завелся, крошками кормишь. Хорошо!

— Не холодно тебе? Ведь осень...

— Чудак, да я ж весь на пуху. Чив-вик! Воробьи на углу дерутся... Эй-эй, подождите! Я тоже хочу...

Пурх! — и улетел. Боже мой, боже мой, ну почему у меня нет крыльев?..

* * *

Дрожу, дрожу, а толку нет. Центральное отопление вчера зашипело, я только спинку погрел, а его выключили. Проба, говорят. Только через две недели затопят — и уж на всю зиму. А я что ж, две недели трястись должен?!

Спать хочется — жуть. Днем сплю, вечером сплю, ночью... ночью тоже сплю.

Зина говорит, что у меня сонная болезнь. Мама говорит, что это собачья старость. Музыкальная учительница говорит, что у меня чума... Гав! Столько напастей — и все на одну собаку?!

А у меня просто тоска. Больно нужны мне ваши осень и зима в квартире с шифоньерками!

И тетрадка кончается. И писать больше не о чем... У-у! Был бы я медведь, пошел бы в лес, залег в берлогу, вымазал лапу медом и сосал бы ее до самой весны...

Сегодня на балкон упало пятно солнца: я на него улегся, а оно из-под меня ушло...

Пока не забыл, надо записать вчерашний сон: будто все мы, целое семейство, едем на юг, в Канн. Бог с ним, с этим зимним Парижем! Папа заснул (он всегда в поезде спит), а Зина с мамой ушли в вагон-ресторан завтракать... И так горько мне стало!.. Почему они меня не взяли с собой? А из саквояжа будто кто-то противным кошачьим голосом мяучит: «Потому что с собаками в вагон-ресторан нельзя! Кошек всюду пускают, а собак... ах, это такая гадость!»

И я рассвирепел, вцепился зубами в саквояж и... проснулся.

* * *

Перелистал свои записи. А вдруг их кто-нибудь напечатает?! С моим портретом и автографом!..

И попадет моя книжка в лапки какой-нибудь девочке в зеленом платьице... Сядет она у камина с моим сочинением, будет читать, перелистывать и улыбаться. И в каждом доме, где только есть маленькие ножки в башмачках с бантиками и без бантиков, будут знать мое имя: Микки!

Зина спит, часы тикают. Консьержка храпит — о как! — я и через пол слышу...

До свидания, тетрадка, до свидания, лето, до свидания, дети — мальчики и девочки, папы и мамы, дедушки и бабушки... Хотел заплакать, а вместо того чихнул.

Ставлю большую жирную точку. Гав! Опять блоха укусила!.. В такую трогательную минуту...

Ну, погоди, кровопийца собачья!..

Всеобщий детский друг,
скромный и сонный фокс Микки

Фокс Микки

Содержание

Літературно-художнє видання

Серія «Улюблена книга дитинства»

Саша Чорний

ЩОДЕННИК ФОКСА МІККІ

(російською мовою)

Ілюстрації *І. В. Масляк*

Литературно-художественное издание

Серия «Любимая книга детства»

Саша Черный

ДНЕВНИК ФОКСА МИККИ

Иллюстрации *И. В. Масляк*

Р136006Р. Підписано до друку 28.05.2015.
Формат 70×90/16. Папір офсетний.
Гарнітура Minion. Друк офсетний.
Ум. друк. арк. 5,85.

ТОВ Видавництво «Ранок».
Свідоцтво ДК № 3322 від 26.11.2008.
61071, Харків, вул. Кібальчича, 27, к. 135.

Интернет-магазин: **www.ranok.com.ua**.
Тел.: (057) 727-70-90, (067) 546-53-73.
E-mail: pochta@ranok.com.ua
61045, Харьков, а/я 3355..

Для писем: 61045, Харьков, а/я 3355.
E-mail: office@ranok.com.ua.
Тел.: (057) 719-48-65, тел./факс: (057) 719-58-67.
По вопросам реализации обращаться:
Харьков, тел.: (057) 727-70-77;
e-mail: deti@ranok.com.ua.

Өндіруші: «Ранок» Баспасы, 61071, Харьков қ,
Кибальчич көшесі, 27-үй, 135-пәтер.
Тел.: (057) 727-70-77
Home page: ранок.рф,
e-mail: deti@ranok.com.ua.
Жарамдылық мерзімі шектелмеген.

Импортшы / Қазақстан Республикасының
территориясында тұтынушылардан
наразылықтарды қабылдаушы ұйым:
«Ранок-Интер» ЖШС, Алматы қ., Іле тас жолы, 11-үй.
e-mail: ranok_kz@mail.ru.
Тел.: 8 (727) 290-23-77, 391-16-11.

ДЛЯ ЧИТАННЯ ДОРОСЛИМИ ДІТЯМ

ДЛЯ ЧТЕНИЯ ВЗРОСЛЫМИ ДЕТЯМ

Произведено для ООО «Ранок». 308013, г. Белгород, ул. Коммунальная, д. 2,
тел.: (4722) 56-95-12, e-mail: ranok1@yandex.ru, www.ранок.рф

Отпечатано согласно предоставленному оригинал-макету в типографии «Фактор-Друк».
61030, г. Харьков, ул. Саратовская, 51. Тел.: + 38-057-717-53-57.
Тираж 2500 экз. Заказ № 1504903.